아서 스타터 워크북 10

아서의 젤리빈

글·그림 마크 브라운

롱테일북스

등장인물

프랜신

무슨 운동이든 잘하는 아서의 친구. 활달한 성격으로 리더십이 있다.

빙키

거친 외모와 달리 의외로 섬세한 성격을 지닌 아서의 친구.

펀

아서의 학교 친구. 시와 소설을 좋아하고 직접 쓰기도 하지만 부끄러움을 많이 탄다.

버스터

아서의 가장 친한 친구. 탐정 놀이와 외계인을 좋아하는 특이한 성격의 소유자.

머피

패션 감각이 뛰어난 아서의 친구. 분홍색을 가장 좋아한다.

Contents

본 워크북에 담긴 한국어 번역의 페이지는 영어 원서의 페이지와 동일하게 유지했습니다.
영어 원서를 읽다가 이해가 가지 않는 부분이 있다면, 워크북의 같은 페이지를 펼쳐 보세요! 궁금한 부분의 번역을 쉽게 확인할 수 있습니다.

영어 원서를 100 단어 기준으로 총 다섯 개의 파트로 나누어, 각 파트별로 다양한 액티비티를 담았습니다. 재미있게 영어 원서를 읽고 액티비티를 풀어 나가다 보면 영어 실력도 쑥쑥 향상될 것입니다!

부록으로 제공되는 MP3 CD에는 '듣기 훈련용 오디오북'과 '따라 읽기용 오디오북'의 두 가지 오디오북이 담겨 있습니다.
'듣기 훈련용 오디오북'은 원어민 전문 성우가 녹음한 오디오북으로 재미있는 효과음이 곁들여져 원서의 내용을 실감나게 이해하도록 도울 것입니다.
'따라 읽기용 오디오북'은 초보 학습자들을 위한 오디오북으로 효과음을 제거하고 조금 더 천천히 녹음한 것으로 학습용으로 사용하기에 유용할 것입니다.

“내 봄맞이 파티에 온 것을 환영해!” 머피가 알렸습니다.

“우리가 할 첫 번째 게임은—”

“잠깐만!” 펀이 말했습니다. “아서는 어디에 있지?”

“저기 오네.” 브레인이 말했습니다.

프랜신이 한숨을 쉬었습니다. “그는 너무 느려.”

“아서는 거북이를 빨라 보이게 한다니까.” 버스터가 동의했습니다.

“안녕.” 아서가 말했습니다. “내가 늦었니?”

머피가 그녀의 호루라기를 불었습니다. “게임을 시작하자!”

가장 먼저 달걀 굴리기 게임을 했습니다. 달걀들이 여기저기로 굴러갔습니다.

빙키가 자신의 것을 먼저 바구니에 밀어 넣었습니다. 아서는 꼴찌였습니다.

“네 코처럼 생긴 코를 가졌으면, 넌 일등으로 들어왔었어야지.” 프랜신이 말했습니다.

다음에는 토끼뜀 뛰기 게임을 했습니다.

“아야! 내 발!” 펀이 외쳤습니다.

프랜신이 깡충깡충 뛰어 첫 번째로 결승선을 통과했습니다.

아서는 마지막으로 통과했습니다.

"간식 시간은 아직 멀었니?" 버스터가 물었습니다.

"거의 다 됐어." 머피가 말했습니다. "마지막 게임은 젤리빈 찾기야.
젤리빈을 가장 많이 찾는 사람이 최우수 상품을 받을 거야!"

"최우수 상품이 뭔데?" 빙키가 물었습니다.

머피가 미소 지었습니다. "짜-짠! 그리고 이건 온전히 다 초콜릿이야."
"우와." 다른 아이들이 속삭였습니다.

"난 저 초콜릿 달걀이 갖고 싶어." 빙키가 말했습니다.

"누가 네가 이길 거라고 했니?" 브레인이 말했습니다.

"나는 내가 이길 확률이 높다고 봐."

"내 확률도, 역시 높아." 아서가 말했습니다.

다른 아이들이 서로를 바라보았습니다. 그러더니 그들은 웃음을 터뜨렸습니다.

“뭐가 그렇게 웃겨?” 아서가 물었습니다.

프랜신이 말했습니다. “그건 그냥 네가 너무—”

“**느리니까**!” 모든 아이들이 맞장구쳤습니다.

머피가 종이 가방을 나눠 주었습니다. “너희는 15분 동안 젤리빈을 모아야 해. 제자리에, 준비, **시작**!”

“내 앞에서 비켜!” 버스터가 소리쳤습니다.

“우승자가 지나가신다!” 프랜신이 외쳤습니다.

모두 마당을 바쁘게 돌아다녔습니다. 아서를 제외한 모든 아이들이 말이에요. 그는 거의 움직이지 않았습니다.

"난 벌써 네 개나 찾았어!" 펀이 소리쳤습니다.

"여섯 개째야!" 브레인이 말했습니다.

"하나!" 아서가 말했습니다. "난 한 개 찾았어!"

“내 가방이 가득 차고 있어.” 프랜신이 말했습니다.

“내가 모은 것들의 합계를 계산하려면 나는 계산기가 필요할 거야.” 브레인이 말했습니다.

머피가 그녀의 초시계를 확인했습니다.

“6분 남았어!” 그녀가 소리쳤습니다.

"우리 그냥 몇 개인지 세기 시작하면 안 될까?" 버스터가 물었습니다. "그렇게 많은 젤리빈이 남아 있을 리가 없어."

"맞아." 빙키가 말했습니다. "나는 마치 진공청소기 같았어. 나는 내 길에 있는 젤리빈을 모두 흡입했다고."

"절대 안 돼!" 아서가 말했습니다. "난 여전히 찾고 있단 말이야."

"규칙은 규칙이지." 머피가 말했습니다. "5분 남았어!"

버스터는 젤리빈이 담긴 자신의 가방을 보았습니다. *나는 정말 많이 가지고 있어.* 그가 생각했습니다. *하나 정도는 먹어도 괜찮을 거야.*

빙키는 버스터가 젤리빈을 먹는 것을 보았습니다.

만약 버스터가 하나 정도 먹을 수 있다면, 나도 그럴 수 있겠지. 그는 생각했습니다.

오래 지나지 않아, 또한, 펀도 자신의 가방에서 야금야금 꺼내 먹었습니다.

그리고 프랜신도. 또 브레인도 그랬죠.

“이 파란색 젤리빈들은 솜사탕 맛인가?” 펀이 물었습니다.

“그런 것 같아, 그리고 갈색 젤리빈은 루트 비어 맛이야.” 빙키가 말했습니다.

“왜 분홍색 젤리빈은 없어?” 프랜신이 물었습니다.

머피가 얼굴을 붉혔습니다. “내가 파티 전에 분홍색 젤리빈을 다 먹어 버렸어.”

그러고 나서 그녀는 자신의 초시계를 내려다보았습니다.

“이런! 시간이 다 됐어!” 그녀가 외쳤습니다.

모든 아이들이 줄을 서서 자신들의 젤리빈을 쏟아 놓았습니다.

머피가 줄을 따라 걸으며 개수를 세었습니다.

“펀. . . 일곱 개. 브레인. . . 여섯 개.

빙키, 너는 세 개. . . 그리고 프랜신은 아홉 개.”

그리고 그녀는 아서에게 다가갔습니다.

“하나, 둘, 셋.” 머피가 세기 시작했습니다. 그녀는 계속 셌습니다.

“열 둘, 열 셋, 열 넷. 아서, 네가 이겼어!”

“**내가**?” 아서가 말했습니다.

“아서가 **이겼다고**?” 프랜신이 말했습니다.

머피는 아서에게 커다란 초콜릿 달걀을 건넸습니다.

“나는 너희 모두 내가 이걸 먹게 도와주면 좋겠어.” 아서가 말했습니다.

“정말?” 버스터가 말했습니다.

“물론이지!” 아서가 말했습니다.

“나는 절대 그걸 다 먹지 못할 거야. 어쨌든. . .”

"너희는 내가 얼마나 느린지 알잖아!"

Activities

**영어 원서를 총 다섯 개의 파트로 나누어,
각 파트별로 다양한 액티비티를 담았습니다.**

**각 파트의 영어 원서 페이지는 롱테일북스에서 출간된
'롱테일 에디션'을 기준으로 합니다!**

Vocabulary Part 1

환영하다, 맞이하다

welcome

봄

spring

즐기기

fling

알리다, 발표하다

announce

느린, 더딘

slow

동의하다

agree

호루라기

whistle

시작하다

begin

달걀, 계란

egg

밀기; 밀다

push

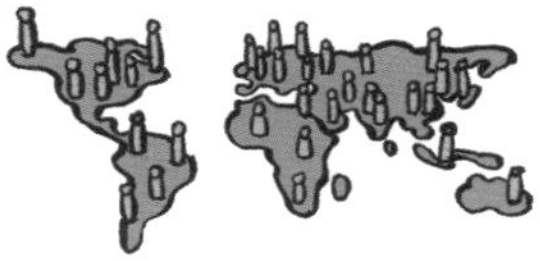

곳곳에

all over

장소, 곳

place

살살 밀다, 쿡 찌르다

nudge

바구니

basket

토끼

bunny

뛰기; 깡충깡충 뛰다
(과거형 hopped)

hop

외치다 (과거형 cried)

cry

결승선

finish line

Word Review Part 1

A 알파벳을 바르게 배열하여 그림에 맞게 단어를 완성해 보세요.

1

p h o

h

2

h u p s

3

l e c a p

B 알파벳을 바르게 써넣어 그림에 알맞은 단어를 완성해 보세요.

1

e g

2

w   com

3

ud   e

C 그림을 보고 알맞은 단어를 퍼즐에서 찾은 뒤, 빈칸에 단어를 써 보세요.

b	a	s	k	e	t	d	u
u	t	q	o	i	m	l	j
n	i	v	b	r	g	o	s
n	z	s	l	o	w	q	p
y	w	a	c	n	b	m	r
b	x	o	s	l	z	k	i
j	c	r	y	p	g	j	n
t	k	l	n	b	v	a	g

1

spring

2

3

4

5

Wrap Up! Part 1

A 이야기의 순서에 맞게 번호를 적어 보세요.

Arthur was late
for Muffy's party.

1

Muffy welcomed her friends.

The first game was
the Egg Push.

The kids played
the Bunny Hop.

B 각 단어에 알맞은 그림을 찾고, 이를 설명하는 문장을 찾아 바르게 이어 보세요.

announce

whistle

nudge

finish line

Francine crossed the finish line first.

Binky nudged his egg into the basket.

Muffy announced the first game.

Muffy blew her whistle for the games.

C 다음 그림을 보고 아래의 단어를 알맞게 넣어 문장을 완성해 보세요.

basket began all over

1. The game ______ as Muffy blew her whistle.

2. There were eggs rolling ______ the place.

3. Arthur was last to nudge his egg into the ______ .

D 책의 내용과 일치하면 TRUE에, 그렇지 않으면 FALSE에 동그라미를 그려 보세요.

1. Fern asked where Arthur was. TRUE FALSE
2. Buster said that Arthur looked slower than turtles. TRUE FALSE
3. The kids played games at Muffy's party. TRUE FALSE
4. Arthur crossed the finish line first. TRUE FALSE

E 다음 질문에 대한 알맞은 답을 골라 보세요.

What was the first game?

a. The Egg Push
b. The Turtle Race
c. The Bunny Hop

Let's Write! Part 1

A 우리말에 맞게 알맞은 짝을 찾아 바르게 연결하고 완성된 문장을 두 번씩 써 보세요.

1 Welcome to	all over the place.
2 Arthur makes	my Spring Fling party!
3 Eggs went rolling	the Bunny Hop.
4 Next came	turtles look fast.

1 내 봄맞이 파티에 온 것을 환영해!

Welcome to my Spring Fling party!

2 아서는 거북이를 빨라 보이게 한다니까.

3 달걀들이 여기저기로 굴러갔습니다.

4 다음에는 토끼뜀 뛰기 게임을 했습니다.

Vocabulary Part 2

간식

refreshment

젤리빈(콩 모양의 젤리)

jelly bean

찾기, 사냥

hunt

모으다

collect

(이겨서) ~을 얻다, 이기다

win

멋진, 웅장한

grand

상품, 상

prize

미소를 짓다

smile

순전한, 순수한

solid

속삭이다, 소곤거리다

whisper

~라고 여기다

view

가능성, 기회

chance

뛰어난, 훌륭한

excellent

아이

kid

서로

each other

터뜨리다, 터지다

burst out

웃기는, 재미있는

funny

맞장구치다, 동의하다

chime in

Word Review Part 2

A 알파벳을 이어서 알맞은 그림과 연결하고, 빈칸에 완성된 단어를 써 보세요.

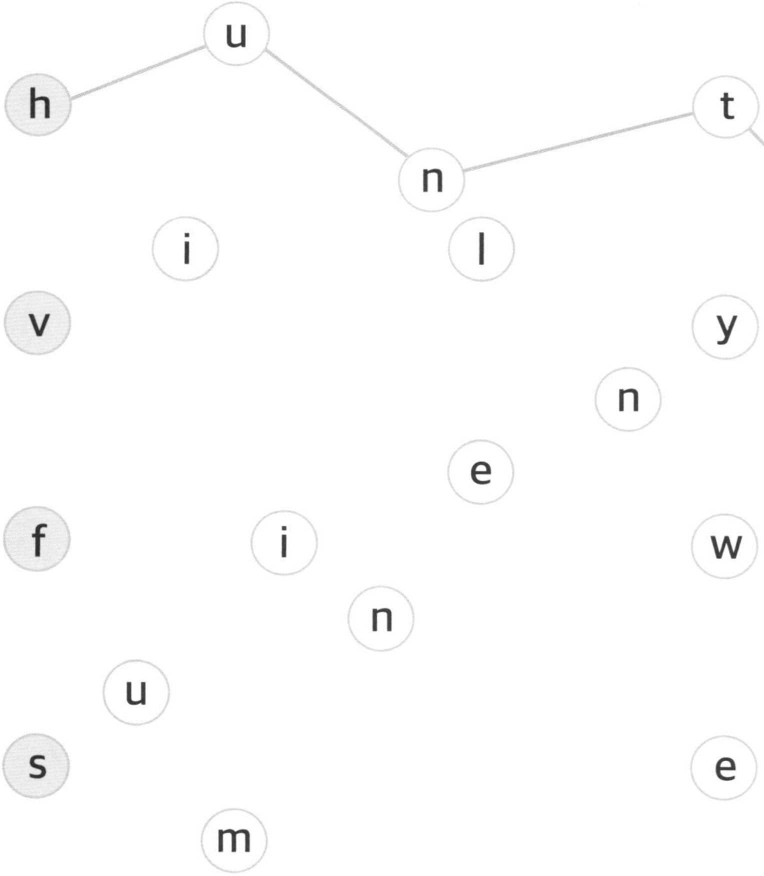

hunt

B 그림을 보고 같은 색깔의 알파벳을 바르게 배열하여 빈칸에 써 보세요.

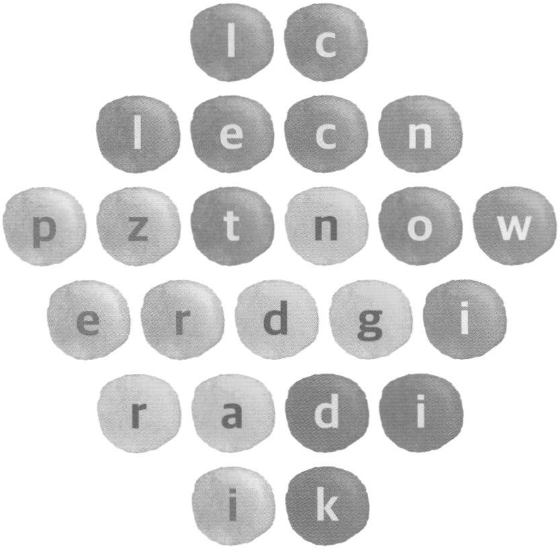

1

win

2

3

4

5

Wrap Up! Part 2

A 이야기의 순서에 맞게 번호를 적어 보세요.

Everyone wanted
to win the chocolate egg.

The kids were surprised
to see the grand prize.

Muffy showed the kids
the grand prize.

The other kids
laughed at Arthur.

B 두 개의 문장 중 오른쪽에 있는 그림을 바르게 설명하는 문장을 골라 보세요.

1
ⓐ Binky wanted to know what the prize was.
ⓑ Binky wanted to stop playing the game.

2
ⓐ The grand prize was made of jelly.
ⓑ The grand prize was made of chocolate.

3
ⓐ The other kids burst out crying.
ⓑ The other kids burst out laughing.

4
ⓐ Arthur didn't know that he was slow.
ⓑ Arthur didn't know that he was excellent.

C 다음 그림을 보고 아래의 단어를 알맞게 넣어 문장을 완성해 보세요.

grand refreshments whispered

1 It was almost time for ______________ .

2 Binky wanted to know what the ______________ prize was.

3 The kids ______________ in surprise.

D 책의 내용과 일치하면 TRUE에, 그렇지 않으면 FALSE에 동그라미를 그려 보세요.

1. The final game was the Jelly Bean Hunt. TRUE FALSE
2. The grand prize was a solid egg. TRUE FALSE
3. Arthur thought that he was going to win. TRUE FALSE
4. The other kids made fun of Arthur for being slow. TRUE FALSE

E 다음 질문에 대한 알맞은 답을 골라 보세요.

What did the kids have to do to win the grand prize?

a. Win the most games in all
b. Collect the most jelly beans
c. Put the most eggs in the basket

Let's Write! Part 2

A 오늘 공부한 문장을 따라 써 보세요.

1 간식 시간은 아직 멀었니?

Is it time for refreshments yet?

2 마지막 게임은 젤리빈 찾기야.

The final game is the Jelly Bean Hunt.

3 이건 온전히 다 초콜릿이야.

It's solid chocolate.

4 나는 내가 이길 확률이 높다고 봐.

I view my chances as excellent.

5 그들은 웃음을 터뜨렸습니다.

They burst out laughing.

6 그건 그냥 네가 너무 느리니까!

It's just that you're so SLOW!

Vocabulary Part 3

나눠 주다, 분배하다

pass out

(시간 단위의) 분

minute

준비가 된

ready

~의 밖으로

out of

쏜살같이 가다, 질주하다

race

~을 제외하면

except

거의 ~하지 않다

hardly

가득 찬

full

계산기

calculator

(컴퓨터로) 계산하다

compute

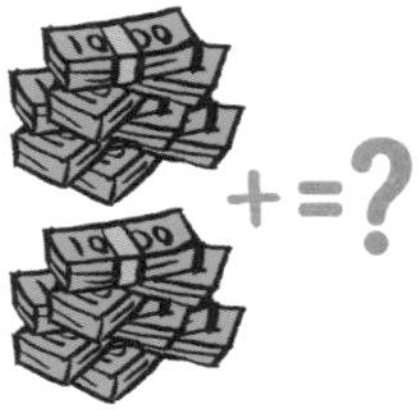

합계, 총액

total

확인하다, 점검하다

check

초시계, 스톱워치

stopwatch

수를 세다, 계산하다

count

진공청소기;
진공청소기로 청소하다

vacuum

빨아들이다, 빨아 먹다

suck

길, 경로

path

규칙, 규정

rule

Word Review Part 3

A 그림을 보고 알파벳 속에서 맞는 단어를 찾아 빈칸에 써 보세요.

sempreadycvucalculatordtotalbmirystopwatchunhcminuteielorulek

1

ready

2

3
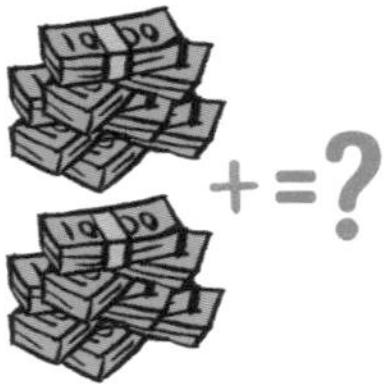

4

5

6

B 그림을 보고 알맞은 단어를 퍼즐에 넣어 완성한 뒤, 빈칸에 단어를 써 보세요.

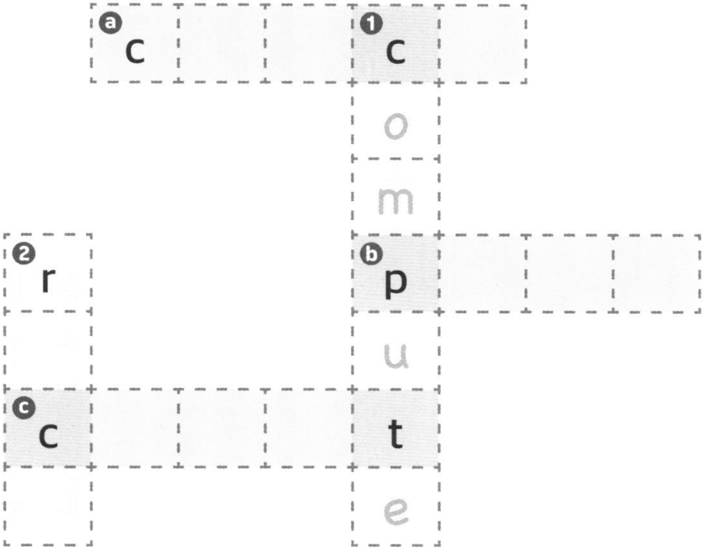

❶

compute

❷

ⓐ

ⓑ

ⓒ

Wrap Up! Part 3

A 이야기의 순서에 맞게 번호를 적어 보세요.

Francine and the Brain checked their bags.

The kids had five more minutes to play the game.

Buster wanted to start counting.

The kids ran around the yard.

B 그림의 각 부분을 올바르게 설명하는 문장을 찾아 빈칸에 맞는 기호를 넣어 보세요.

ⓐ Each kid had their own paper bag.

ⓑ The Jelly Bean Hunt would last for fifteen minutes.

ⓒ Fern had already got four jelly beans.

ⓓ Arthur collected only one jelly bean.

C 다음 그림을 보고 아래의 단어를 알맞게 넣어 문장을 완성해 보세요.

vacuum　　hardly　　rules

1. During the game, Arthur ______ moved at all.

2. Binky thought that he was like a ______ cleaner.

3. Muffy decided to play the game by the ______.

D 책의 내용과 일치하면 TRUE에, 그렇지 않으면 FALSE에 동그라미를 그려 보세요.

1. Muffy passed out baskets for the game. TRUE FALSE
2. Arthur was slow to collect his jelly beans. TRUE FALSE
3. Francine's bag was full of jelly beans. TRUE FALSE
4. Buster and Binky wanted to count their jelly beans. TRUE FALSE

E 다음 질문에 대한 알맞은 답을 골라 보세요.

What did Arthur do when the kids wanted to count?

a. Calculate his total
b. Check Muffy's stopwatch
c. Look for the jelly beans in his path

Let's Write! Part 3

A 우리말에 맞게 네모 안에 있는 말을 바르게 배열해 보세요.

1 모두 마당을 바쁘게 돌아다녔습니다.

raced 바쁘게 돌아다녔다	Everyone 모두	around the yard 마당을

Everyone raced ______________________.

2 그는 거의 움직이지 않았습니다.

He 그는	at all 조금도	hardly moved 거의 움직이지 않았다

______________________.

3 난 벌써 네 개나 찾았어!

already 벌써	I've 나는	four 네 개나	got 찾았다

______________________!

4 내 가방이 가득 차고 있어.

full 가득 찬	My bag 내 가방이	is getting ~하고 있다

.

5 우리 그냥 몇 개인지 세기 시작하면 안 될까?

just 그냥	we 우리가	Can't 안 되니	start counting 몇 개인지 세기 시작하다

?

6 난 여전히 찾고 있단 말이야.

looking 찾고 있는 중	still 여전히	I'm 나는 ~이다

.

Vocabulary Part 4

보다, 보이다

look

가방

bag

피해를 보다, 아프게 하다

hurt

먹다

eat

보다 (과거형 saw)

see

할애하다, 내어 주다

spare

생각하다, 판단하다

figure

~하기 전에

before

조금씩 꺼내다

dip into

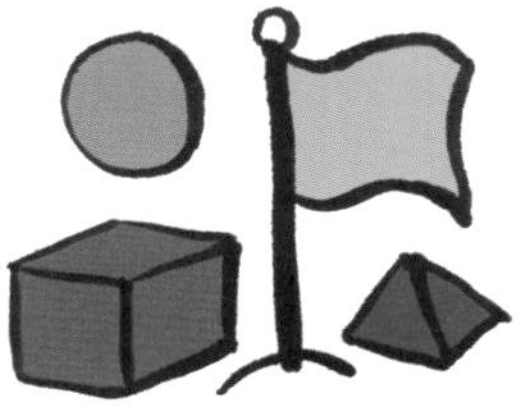

파란색의; 파란색

blue

솜사탕

cotton candy

묻다

ask

갈색의; 갈색

brown

루트 비어(탄산음료의 일종)

root beer

분홍색의; 분홍색

pink

얼굴을 붉히다, 부끄러워하다

blush

모든; 모두, 다

all

파티

party

Word Review Part 4

A 알파벳을 바르게 배열하여 그림에 맞게 단어를 완성해 보세요.

1

e b o e f r

2

a e t

3

a g b

B 알파벳을 바르게 써넣어 그림에 알맞은 단어를 완성해 보세요.

1

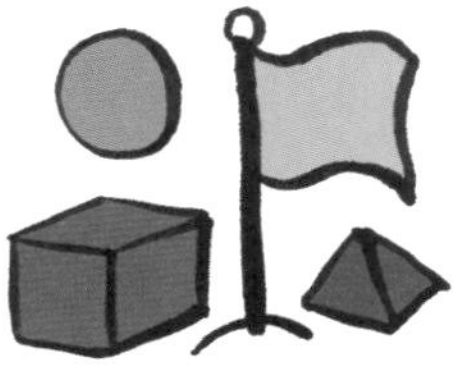

bl

2

ur

3

s r

C 그림을 보고 알맞은 단어를 퍼즐에서 찾은 뒤, 빈칸에 단어를 써 보세요.

u	n	l	o	c	y	i	p
b	l	u	s	h	t	x	i
x	k	p	e	g	w	y	n
m	p	i	o	l	a	s	k
p	a	m	n	q	o	b	u
k	r	w	k	d	i	s	p
j	t	u	b	r	o	w	n
q	y	r	v	i	c	e	k

1

2

3

4

5

Wrap Up! Part 4

A 이야기의 순서에 맞게 번호를 적어 보세요.

There weren't
any pink jelly beans.

Soon the other kids ate
their jelly beans.

Buster first started
eating a jelly bean.

Muffy said that
their time was up.

B 각 단어에 알맞은 그림을 찾고, 이를 설명하는 문장을 찾아 바르게 이어 보세요.

spare

Everyone thought that they could spare their jelly beans.

dip into

Fern was eating a blue jelly bean.

blue

Fern dipped into her bag.

look

Muffy looked down at her stopwatch.

C 다음 그림을 보고 아래의 단어를 알맞게 넣어 문장을 완성해 보세요.

eat　　dipped　　pink

1. Everyone except Arthur ________ into their bags.

2. The kids asked Muffy about the ________ jelly beans.

3. Arthur didn't ________ his jelly beans.

D 책의 내용과 일치하면 TRUE에, 그렇지 않으면 FALSE에 동그라미를 그려 보세요.

1. Buster thought that he had a lot of jelly beans. TRUE FALSE
2. The kids thought that it was okay to eat their jelly beans. TRUE FALSE
3. The blue jelly beans tasted like cotton candy. TRUE FALSE
4. The brown jelly beans tasted like chocolate. TRUE FALSE

E 다음 질문에 대한 알맞은 답을 골라 보세요.

Why did Muffy blush?

a. She didn't know that the time had passed.

b. There were no more jelly beans in her yard.

c. She had eaten all of the pink jelly beans before the party.

Let's Write! Part 4

A 우리말에 맞게 알맞은 짝을 찾아 바르게 연결하고 완성된 문장을 두 번씩 써 보세요.

1 Buster looked •	• into her bag, too.
2 Fern was dipping •	• before the party.
3 Why aren't there •	• any pink ones?
4 I ate all the pink ones •	• at his bag of jelly beans.

1. 버스터는 젤리빈이 담긴 자신의 가방을 보았습니다.

2. 또한, 펀도 자신의 가방에서 야금야금 꺼내 먹었습니다.

3. 왜 분홍색 젤리빈은 없어?

4. 내가 파티 전에 분홍색 젤리빈을 다 먹어 버렸어.

Vocabulary Part 5

모든 사람, 모두

everyone

줄을 서다

line up

쏟다, 붓다, 따르다

pour

걷다; 산책, 걷기

walk

수를 세다, 계산하다

count

시작하다 (과거형 began)

begin

~을 계속하다 (과거형 kept)

keep

건네주다; 손, 도움의 손길

hand

큰

big

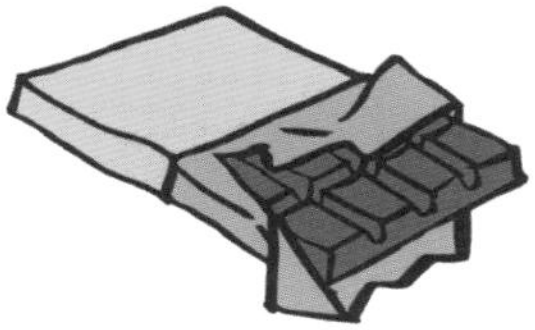

초콜릿

chocolate

~이면 좋겠다, 바라다

hope

돕다

help

정말로

really

물론

of course

절대 ~ 않다

never

마치다, 끝내다

finish

알다

know

느린, 더딘

slow

Word Review Part 5

A 알파벳을 이어서 알맞은 그림과 연결하고, 빈칸에 완성된 단어를 써 보세요.

o

w w

u

a

p r

l

o

h l d

a

s k

n

B 그림을 보고 같은 색깔의 알파벳을 바르게 배열하여 빈칸에 써 보세요.

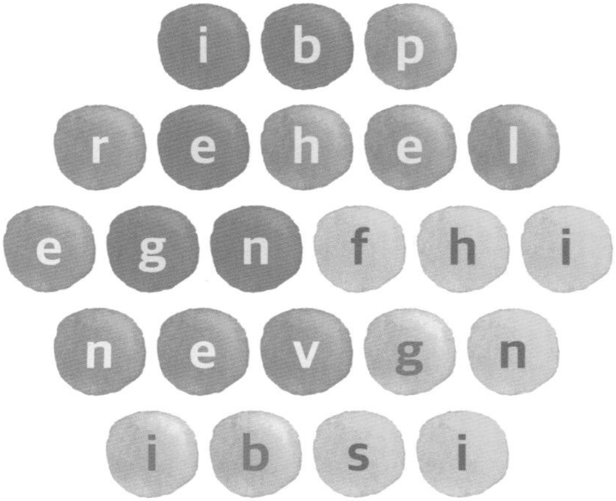

1

2

3

4

5

A 이야기의 순서에 맞게 번호를 적어 보세요.

Muffy handed Arthur the grand prize.

Everyone would help Arthur finish the chocolate egg.

Muffy declared Arthur the winner.

Muffy counted everyone's jelly beans.

B 두 개의 문장 중 오른쪽에 있는 그림을 바르게 설명하는 문장을 골라 보세요.

1

ⓐ Everyone ate their jelly beans.

ⓑ Everyone poured out their jelly beans.

2

ⓐ Muffy counted Arthur's jelly beans.

ⓑ Muffy handed Arthur her jelly beans.

3

ⓐ Arthur never finished the Jelly Bean Hunt.

ⓑ Arthur won the Jelly Bean Hunt.

4

ⓐ Everyone could eat all the jelly beans.

ⓑ Everyone could eat the chocolate egg.

C 다음 그림을 보고 아래의 단어를 알맞게 넣어 문장을 완성해 보세요.

never hoped chocolate

1 Arthur ______________ stopped collecting his jelly beans.

2 Arthur won the big ______________ egg.

3 Arthur ______________ that the other kids would help him.

D 책의 내용과 일치하면 TRUE에, 그렇지 않으면 FALSE에 동그라미를 그려 보세요.

1. Everyone poured out their jelly beans for counting. TRUE FALSE
2. Francine collected seven jelly beans. TRUE FALSE
3. Arthur was the winner of the Jelly Bean Hunt. TRUE FALSE
4. Arthur wanted to share his prize with his friends. TRUE FALSE

E 다음 질문에 대한 알맞은 답을 골라 보세요.

How many jelly beans did Arthur collect?

a. Nine

b. Eleven

c. Fourteen

Let's Write! Part 5

A 오늘 공부한 문장을 따라 써 보세요.

1 머피가 줄을 따라 걸으며 개수를 세었습니다.

Muffy walked down the line counting.

2 그녀는 아서에게 다가갔습니다.

She came to Arthur.

3 머피는 아서에게 초콜릿 달걀을 건넸습니다.

Muffy handed Arthur the chocolate egg.

4 나는 너희 모두 내가 이걸 먹게 도와주면 좋겠어.

I hope you'll all help me eat this.

5 나는 절대 그걸 다 먹지 못할 거야.

I could never finish it.

6 너희는 내가 얼마나 느린지 알잖아!

You know how slow I am!

Answers

Part 1

Word Review

A

1 

pho

hop

2 

hups

push

3 

lecap

place

B

1 

egg

2 

welcome

3 

nudge

C

b	a	s	k	e	t	d	u
u	t	q	o	i	m	l	j
n	i	v	b	r	g	o	s
n	z	s	l	o	w	q	p
y	w	a	c	n	b	m	r
b	x	o	s	l	z	k	i
j	c	r	y	p	g	j	n
t	k	l	n	b	v	a	g

1 

spring

2 

bunny

3 

basket

4 

cry

5 

slow

Wrap Up!

A

2 

Arthur was late for Muffy's party.

1 

Muffy welcomed her friends.

3 

The first game was the Egg Push.

4 

The kids played the Bunny Hop.

B

announce

whistle

nudge

finish line

Francine crossed the finish line first.

Binky nudged his egg into the basket.

Muffy announced the first game.

Muffy blew her whistle for the games.

C

1. The game began as Muffy blew her whistle.
2. There were eggs rolling all over the place.
3. Arthur was last to nudge his egg into the basket.

D 1 TRUE 2 TRUE 3 TRUE 4 FALSE

E a

Let's Write!

A

1 Welcome to	all over the place.
2 Arthur makes	my Spring Fling party!
3 Eggs went rolling	the Bunny Hop.
4 Next came	turtles look fast.

Part 2
Word Review

A

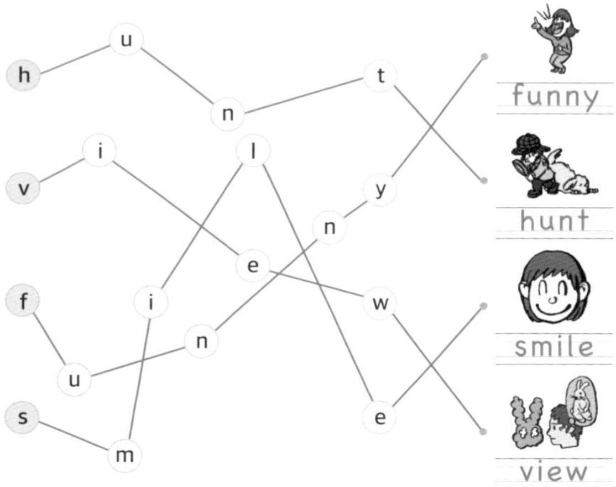

B

1 
win

2 
prize

3 
collect

4 
kid

5 
grand

Wrap Up!

A

3
Everyone wanted to win the chocolate egg.

2
The kids were surprised to see the grand prize.

1
Muffy showed the kids the grand prize.

4
The other kids laughed at Arthur.

B

1 a 2 b 3 b 4 a

C

1 It was almost time for refreshments .

2 Binky wanted to know what the grand prize was.

3 The kids whispered in surprise.

D

1 TRUE 2 FALSE 3 TRUE 4 TRUE

E

b

Part 3

Word Review

A

sempreadycvucalculatordtotalbmirystopwatchunhcminuteielorulek

1 ready

2 calculator

3 total

4 minute

5 stopwatch

6 rule

B

	ⓐ c	h	e	❶ c	k		
				o			
				m			
❷ r				ⓑ p	a	t	h
a				u			
ⓒ c	o	u	n	t			
e				e			

1 compute

2 race

a check

b path

c count

Wrap Up!

A

Francine and the Brain checked their bags.

The kids had five more minutes to play the game.

Buster wanted to start counting.

The kids ran around the yard.

B

C

1. During the game, Arthur hardly moved at all.
2. Binky thought that he was like a vacuum cleaner.
3. Muffy decided to play the game by the rules .

D 1 FALSE 2 TRUE 3 TRUE 4 TRUE

E c

Let's Write!

A

1. Everyone raced around the yard.
2. He hardly moved at all.
3. I've already got four!
4. My bag is getting full.
5. Can't we just start counting?
6. I'm still looking.

Part 4

Word Review

A

1

eboefr

before

2

aet

eat

3

agb

bag

B

1
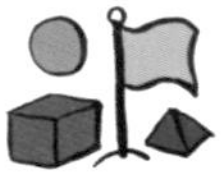

blue

2

hurt

3

spare

C

u	n	l	o	c	y	i	p
b	l	u	s	h	t	x	i
x	k	p	e	g	w	y	n
m	p	i	o	l	a	s	k
p	a	m	n	q	o	b	u
k	r	w	k	d	i	s	p
j	t	u	b	r	o	w	n
q	y	r	v	i	c	e	k

1

pink

2

party

3

brown

4

blush

5

ask

Wrap Up!

A

3

There weren't any pink jelly beans.

2

Soon the other kids ate their jelly beans.

1

Buster first started eating a jelly bean.

4

Muffy said that their time was up.

B

spare

dip into

blue

look

Everyone thought that they could spare their jelly beans.

Fern was eating a blue jelly bean.

Fern dipped into her bag.

Muffy looked down at her stopwatch.

C

1. Everyone except Arthur **dipped** into their bags.
2. The kids asked Muffy about the **pink** jelly beans.
3. Arthur didn't **eat** his jelly beans.

D
1. TRUE 2. TRUE 3. TRUE 4. FALSE

E
c

Let's Write!

A

1. Buster looked	into her bag, too.
2. Fern was dipping	before the party.
3. Why aren't there	any pink ones?
4. I ate all the pink ones	at his bag of jelly beans.

(1 — at his bag of jelly beans. / 2 — into her bag, too. / 3 — any pink ones? / 4 — before the party.)

Part 5
Word Review

A

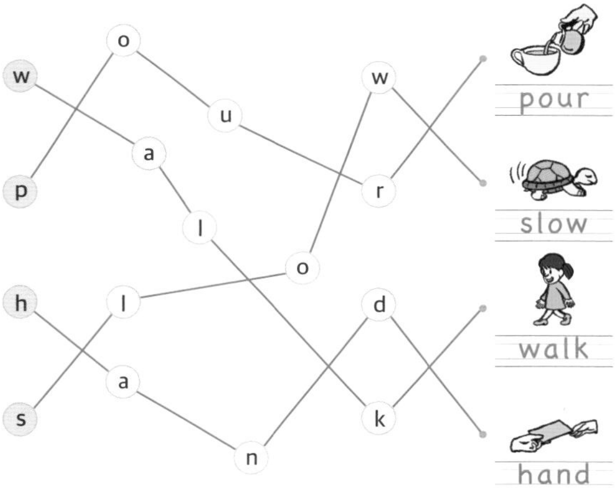

pour
slow
walk
hand

B

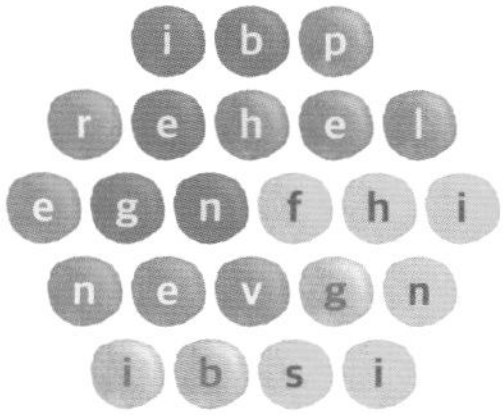

1 
help

2 
never

3 
begin

4 
finish

5 
big

Wrap Up!

A

3

Muffy handed Arthur the grand prize.

4

Everyone would help Arthur finish the chocolate egg.

2

Muffy declared Arthur the winner.

1

Muffy counted everyone's jelly beans.

B 1 b 2 a 3 b 4 b

C

1 Arthur never stopped collecting his jelly beans.

2 Arthur won the big chocolate egg.

3 Arthur hoped that the other kids would help him.

D 1 TRUE 2 FALSE 3 TRUE 4 TRUE

E c

More Arthur Stories to Read!

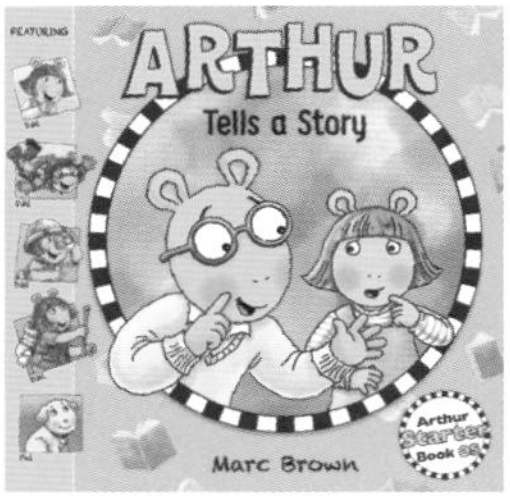

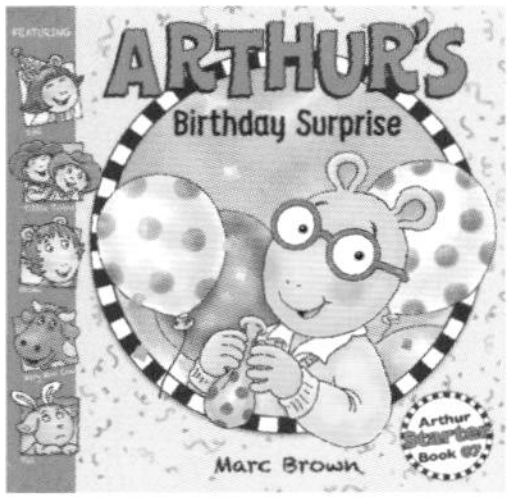

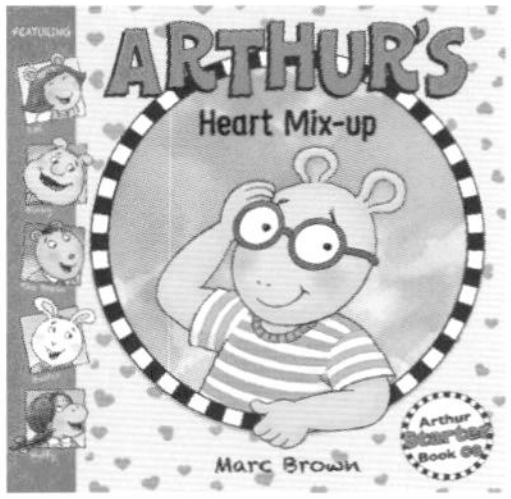

01 Arthur and the Big Snow
02 Arthur and the Dog Show
03 Arthur Helps Out
04 Arthur Jumps into Fall
05 Arthur Tells a Story
06 Arthur to the Rescue
07 Arthur's Birthday Surprise
08 Arthur's Heart Mix-Up
09 Arthur's Homework
10 Arthur's Jelly Beans
11 Arthur's Mystery Babysitter
12 Arthur's Off to School
13 Arthur's Tree House

재미있는 내용을 쉬운 문장과 간결한 표현으로 풀어 낸 기초 원서,
『아서 스타터(Arthur Starter)』 시리즈

아이들의 눈높이에 맞춘 유쾌한 이야기!
실생활에 바로 적용할 수 있는 영어 표현!

ARTHUR'S JELLY BEANS

아서의 젤리빈

초판 발행 2022년 1월 3일

글·그림 마크 브라운
번역및콘텐츠감수 유아름 정소이
콘텐츠제작참여 기나현 선생님(경기 고양 일산중) 김수정 선생님(경기 부천 계남초)
이재영 선생님(서울 영등포 영림초) 임소연 선생님(경기 동두천 생연초)
영문감수 Julie Tofflemire
책임편집 유아름 정소이 김보경
디자인 모희정 이강효
저작권 김보경
마케팅 김보미 정경훈

기획 김승규
펴낸이 이수영
펴낸곳 롱테일북스
출판등록 제2015-000191호
주소 04033 서울특별시 마포구 양화로 113(서교동) 3층
전자메일 helper@longtailbooks.co.kr

ISBN 979-11-91343-34-2 14740